Un livre pour enfants sur

LE VOL

Conseillers à la publication: Jean-Pierre Durocher
                                  Chrystiane Harnois

Conseillère à la rédaction: Amanda Gough

Dépôt légal, 4e trimestre 1995
Bibliothèque nationale du Québec

ISBN 0-7172-3122-4

Imprimé aux États-Unis

Un livre pour enfants sur

LE VOL

Texte de JOY BERRY
Illustrations de BARTHOLOMEW

GROLIER LIMITÉE
Montréal

Voici l'histoire de Caroline et de son ami Sébastien.

Nous y parlerons du **vol**, de ses conséquences et de comment tu peux y remédier.

Quelqu'un t'a-t-il déjà pris quelque chose et ne te l'a jamais rendu?

Tu commets un vol lorsque tu prends
quelque chose qui ne t'appartient pas et
que tu le gardes.

Lorsque quelqu'un te vole quelque chose:

- tu ressens sans doute de la déception, de la frustration et de la colère;
- tu penses peut-être que tu ne peux pas faire confiance à cette personne;
- tu ne veux sans doute plus que cette personne touche à tes affaires.

Il est important de traiter les autres de
la façon dont tu aimes être traité.

Si tu ne veux pas que les autres te volent,
tu ne dois pas voler non plus.

Certaines personnes commettent parfois un vol *accidentellement*.

Cela arrive quand on emprunte quelque chose et qu'on oublie de le rendre.

Cela arrive aussi lorsqu'on prend quelque chose par inadvertance.

Si tu t'aperçois que tu as pris quelque chose qui ne t'appartenait pas par accident, tu dois le rendre immédiatement.

Certaines personnes *font exprès* de voler. Elles savent très bien ce qu'elles font. Elles volent intentionnellement.

Certaines personnes volent parfois parce qu'*elles veulent quelque chose à tout prix.* Elles pensent qu'elles ont absolument besoin des choses qu'elles volent.

Certaines personnes volent *parce que leurs amis volent.*

Elles pensent peut-être que voler n'est pas mal puisque leurs amis le font.

Elles ne veulent peut-être pas se sentir différentes de leurs amis qui volent.

Elles pensent peut-être aussi que leurs amis les aimeront plus si elles volent.

Certaines personnes volent *parce qu'elles pensent que leur larcin passera inaperçu.* Elles se disent qu'elles ne font de mal à personne en volant.

Certaines personnes volent *parce qu'elles sont en colère.* Elles veulent peut-être se venger de quelqu'un qui leur a fait du mal.

Il ne faut jamais voler, quelles que soient
les raisons qui poussent les gens à le faire.

Il ne faut jamais prendre et garder
quelque chose qui ne t'appartient pas.

S'il t'arrive de voler quelque chose,
répare ta mauvaise action immédiatement.
Si tu n'as ni abîmé ni cassé ce que tu as
volé, rends-le à son propriétaire.

Si tu as abîmé ou cassé ce que tu as volé,
remplace-le ou rembourse-le.

Une fois que tu as rendu ou remplacé
l'objet que tu avais pris, excuse-toi
auprès de la personne que tu as volée.
Fais ensuite un gros effort pour ne plus
jamais voler.

Il est important de traiter les autres de la façon dont tu aimes qu'on te traite.

Si tu ne veux pas que les autres te volent, ne les vole pas non plus.